1
Mo Bhreithlá

Is fuath liom daoine a bheith
ag screadaíl! Ar maidin, tá triúr
acu ann: "Breithlá sona,
a Mháire Treasa!'

'Tógaigí go bog é, le bhur dtoil!' Tá súil agam go bhfuil bronntanas ceart acu dom – béirín beag a fuair mé anuraidh. "Duitse!" arsa Sibéal, ag síneadh a méire i dtreo an chúldorais.

Tá poll i mbun an dorais.
Poll beag agus clúdach
plaisteach air.
"Do dhoraisín féin" arsa Daid.
Mo dhoraisín?

Brúnn Daid ar an doraisín.
Osclaíonn sé. PLUB!
"Anois, is féidir leat teacht agus
imeacht as do stuaim féin!"
PLUB, amach liom. PLAB, isteach
arís. A léithéid de bhronntanas
seafóideach!

"Bain triail as, le do thoil" arsa
Sibéal. Mé féin a fháscadh tríd
an doraisín amaideach sin?
An gceapann sibh gur luch mé?

Tiocfaidh mé isteach an doras,
ar nós gach aoinne eile.
Agus osclóidh sibhse an doras dom.
Mí-abha le dul amach, mí-ú le
teacht isteach.
Níl sé sin casta, anois, an bhfuil?

Casaim thart agus siúlaim liom.
Tá Daid le ceangal! "Tá rogha
agat, a chaitín, – bain úsáid as do
dhoraisín, anois díreach – nó ní
rachaidh tú amach arís go deo!"
Breithlá sona mo thóin!

10

2
Triúr Rógairí

Tá sé ina chogadh dearg!
"Rachaidh tú tríd!" a screadann
Daid. Tugaim cluas bhodhar dó.
Ar ais liom go dtí mo chiseán
deas compordach.
Luím síos agus ním m'eireaball.

Tógann Mam mo bhabhla
bia amach. Amaidí!
Ní féidir mé a mhealladh
le greimín bia!

Déanann Daid rud níos measa:
amach leis le mo thráidire leithris.
A dhiabhail!
Ní féidir liom dul go dtí an
leithreas ar an gcairpéad!

Tá an bua acu. Is cat álainn glan mise – níl aon rogha agam ach dul amach. Amach tríd an doraisín suarach. Is fuath liom é! Déanaim mo mhachnamh. B'fhéidir gur cheart dom cuireadh a thabhairt do chúpla cara?

Beartlaí Bréan,
Learaí Lofa,
agus Seáinín Sleamhain!
Teastaíonn PLUB PLAB ó Dhaid?
Bíodh sé aige!
Mí-abha nó dhó, agus seo
chugainn na rógairí.

"Tá fíorchaoin fáilte romhaibh,
a chairde!"
PLUB! PLUB! PLUB!
Isteach leo tríd an doraisín.

Tá aithne mhaith agam ar na rógairí seo. Rachaidh siad i ngach aon áit...isteach sna cófraí, agus sna vardrúis. Beidh sé ina chíor thuathail!

17

Ritheann Mam agus Daid i ndiaidh na rógairí! Tá cait i ngach áit, agus Learaí Lofa ag dreapadh ar na cuirtíní! Faigheann Mam an scuab urláir agus caitheann Daid buicéad uisce leo.

Bainim an-sult as an taispeántas.
Obair mhaith, a chairde!

19

3
Mo shean-namhaid

Tá na rógairí imithe.
Ligeann Mam osna aisti.
Tá fearg fós ar Dhaid.
Deireadh le babhta a haon.
Anois – babhta a dó.

Suas ar an mballa liom.
Feicim mo shean-namhaid:
Lúsafar, madra na gcomharsan.
"Anseo, a Lúsafair, a amadáin",
a ghlaoim.

Scríobaim a shrón go tobann.
Tá Lúsafar le ceangal!

Léim amháin agus tá Lúsafar
trasna an bhalla, ag rith i mo
dhiaidh. Rómhall a Lúsafair!
Isteach liom tríd an doraisín.
Buaileann an t-amadán
in aghaidh an dorais.
Róramhar a Lúsafair!

Níl sé in ann dul tríd an dorasín.
Ró-amaideach, a Lúsafair!
Baineann sé greim as an doraisín.
Rófhiáin, a Lúsafair!

25

"A Lúsafair! Tar anseo, a phleota!"
arsa an fear béal dorais.
Ritheann Lúsafar leis.
A leithéid d'amadán!

Tá an doraisín ina smidiríní.
Féachann Mam, Daid agus
Sibéal ar a bhfuil fághta den
bhronntanas. "An féidir é a
dheisiú?" arsa Sibéal.
Níl fócal ó Mham ná ó Dhaid.
Rud a chiallaíonn...gur mise
an buaiteoir!

"Mí-abha" a deirim os ard,
 ag fanacht go béasach taobh
 amuigh den doras.
"Mí-abha !" a deirim arís.

Osclaíonn Sibéal an doras.
Siúlaim isteach, mar a dhéanann
gach aoinne. Is mise Máire Treasa
Mí-abha, nach mé?

Cé na fuaimeanna a dhéanann an doraisín gránna?

PLIMP!   *PLUB!*

ÍCC!

PLAB!

Craicc!

Cé acu seo mo trí chara?

Is le Lúsafar ceann de na tóineanna seo. Cé acu ceann?

Nuair a bhím ag iarraidh dul amach, céard a bhíonn le rá agam?

Mí-ú!

Mí-abha!

Mí-óóóó!

Sin mise, pictiúr ceart díomsa, **Máire Treasa**. Nach mé atá go hálainn?

Agus seo é **Gérard Moncomble**. Tá cónaí orm féín agus é siúd sa teach céanna. Scríobhann sé scéalta fúm, ach ní fúmsa amháin. Tá leabhair scríofa faoi mhadraí chomh maith aige! Dáiríre! Agus cinn faoi éanacha! Agus lucha! Is aisteach an dream iad na scríbhneoirí!

Agus é siúd, sin é **Frédéric Pillot**. Tá aithne mhaith agam air siúd chomh maith – cara mór le Gérard atá ann. Chomh maith le bheith ag tarraingt pictiúr agus ag péinteáil, bíonn sé ag rith rásanna maratóin. Tá sé as a mheabhair. Ritheann sé an-tapa – tá cosa móra millteacha aige!

Foilsithe den chéad uair ag Éditions Hatier, Páras, An Fhrainc, faoin teideal
Moi, Thérèse Miaou: Jamais vu un cadeau aussi nul! © Hatier, 2008, Páras.
© Futa Fata, 2012, an leagan Gaeilge
Gach ceart ar cosaint.